따로 또 같이 북유럽 자유여행

따로 또 같이 북유럽 자유여행

발 행 | 2024년 03월 29일
저 자 | 김광원
펴낸이 | 한건희
펴낸곳 | 주식회사 부크크
출판사등록 | 2014.07.15.(제2014-16호)
주 소 | 서울특별시 금천구 가산디지털1로 119 SK트윈타워 A동 305호
전 화 | 1670-8316
이메일 | info@bookk.co.kr

ISBN | 979-11-410-7880-5

www.bookk.co.kr

따로 또 같이 북유럽
자유여행

글·드로잉 김광원

김광원

58년 개띠다.
인천대학교 대학원에서 문헌정보학 석사. 정사서 2급.
작은도서관을 다년간 운영하며 작가로서의 노년을 꿈꾸었다.
몇 권의 공저로 작가 예행연습 후, 단독으로는 첫 작품이다.
단편 소설집을 준비 중이다.
2sedong@hanmail.net

언제나 든든한 남편과

멋지게 살고 있는 아들에게

차
례

프롤로그

60대 후반인 우리 부부는, 북유럽에 대한 막연한 환상을 갖고 여행을 계획하였다. 그간 몇 차례 해외여행을 해 보긴 하였으나, 이렇게 긴 여행에 남편과 둘이 하는 자유여행은 처음이었다.

다행히 해외여행을 함께하고 여행기를 공유하는 'NAVER BAND' 회원들을 알게 되었고, 그곳에서 부부 4팀과 개인 6명 14명이 '따로 또 같이 여행'을 시작하게 되었다.

북유럽이라면 일반적으로 노르딕 국가가 북유럽에 속한다. 노르웨이, 덴마크, 스웨덴, 아이슬란드, 핀란드, 그린란드 그 외 발트 3국인 라트비아, 리투아니아, 에스토니아가 북유럽의 국가이다.

2차례의 사전 모임에서 노선과 일정을 정하였다. 발트 3국과 핀란드까지는 가고 싶은 곳을 정하고 노르웨이에서 아이슬란드는 크루즈를 이용하기로 하였다. 크루즈의 노선에 따라 나머지 일정을 진행하기로 하였다. 모두 첫 북유럽 여행이라 기대와 설렘, 두려움이 있으니, 서로의 의견을 많이 존중하게 되었다.

　개인이 제일 진행하기 어려운 부분인 비행기, 호텔, 크루즈, 나라와 나라 간의 이동 시 카페리호 등의 예약을 한 사람이 맡아 하기로 하였다. 나머지 일정은 자유스럽게 진행하기로 정하였다. 각종 예약을 캡틴이 담당함으로 많은 것이 수월하게 진행되었다.

인천에서 핀란드 헬싱키, 헬싱키에서 리투아니아 빌뉴스로 비행기를 환승. 30시간이 넘게 걸리며 우리의 '따로 또 같이 북유럽 자유여행'은 시작되었다.

한국은 무척이나 더웠다는 2023년 7월 23일부터 8월 17일 24박 26일간의 북유럽 자유여행을 떠났다.

＊ 세상 참 좋다! 다음 네 가지는 꼭 활용하자!

Google 지도

한국에 NAVER 지도가 있다면 외국에는 단연 이것.

관광지, 맛집이 검색되고 리뷰까지 읽어 보고 선택하면 후회할 일 없다

Travel Wallet

간단히 환전이 가능하다. 미리 카드를 신청해 두었다가 여행지에서 사용하니 아주 편리하다.

Bolt 앱

우리나라의 카카오T와 같은 방법으로 사용하여 택시타기에 편리하다. 언어가 통하지 않는 곳에서도 도착장소를 설명할 필요가 없고, 사전 등록 카드로 바로 결제까지 가능하다.

Google 번역기

카메라 기능을 문자에 대기만 해도 번역이 되며 대화번역도 가능하여 데이터만 충분하다면 외국어 자신 없어도 자유여행 가능한 시대이다.

발트 3국

발트 3국은 발트해 동쪽의 세 나라인 리투아니아, 라트비아, 에스토니아를 지칭한다. 이들 나라는 제2차 세계 대전 후 반세기 동안 소련의 지배를 받았기 때문에 흔히 동유럽의 일부로 간주한다. 그러나 역사적으로는 스웨덴, 러시아, 폴란드, 독일의 영향을 많이 받아 지리적으로 발트 3국은 북유럽에 속한다. 발트 3국은 1991년 소련이 해체될 때까지 소련의 점령하에 있다가 독립하였다. 오늘날은 민주주의 의회 공화국으로 시장 경제는 고속으로 발전하고 있다.

우리가 여행하다 보면 제일 많이 보이는 교회는 그 나라를 대표하게 된다. 리투아니아는 가톨릭이 주를 이루어 성당이 많고, 라트비아와 에스토니아는 개신교 일파인 루터교 국가이며 소수는 러시아 정교회이다. 소련에 병합된 이후에 특히 에스토니아와 라트비아에는 러시아인들이 대거 들어오면서 러시아인이 중요한 소수 민족 집단이 되었다.

1. 리투아니아

　리투아니아에 도착해 숙소에 짐을 풀고 북유럽의 첫 식사를 위해 찾은 곳은 Old Town. 시간 가늠이 안 되는 석조 건물과 붉은 지붕들을 바라보며 아스팔트가 아닌 돌바닥을 걸었다. 술을 못 하는 나도 한잔하게 하는 수제 맥주와 현지 음식으로 유럽에 온 것을 실감했다.

　이제부터 자유여행. 남편과 둘이 외딴 도시에 떨어졌는가 싶었는데, 팀을 이루어 몰려다니게 되었다. 누군가 식당을 찾으면 함께 식사하고, 누군가 어딘가에 가 보고 싶다 하면 함께 가면서 따로 또 같이 북유럽 여행이 시작되었다.

Traky, salos pilis

트라카이성 입구에서 찰칵.

15세기 건축양식의 트라카이성은 호수 위에 위치한 3개 섬 중 가장 큰 섬에 건설되었다. 붉은 석제 벽돌이 건물의 기초, 상부와 탑, 벽에 사용되었으며, 유리 타일로 만든 지붕, 스테인드글라스 창문이 아름다웠다. 내부의 벽 주변에는 나무로 된 회랑이 있어 성을 관람하는데 큰 매력으로 다가왔다. 아름다운 성안에는 감옥도 있고 고문 도구들도 있는데, 무섭고 살벌한 고문 도구들을 광장에 전시하여 여행자들에게는 즐길 거리가 되고 있었다.

우리는 자유여행을 최대한 즐기기 위함이라며 성 외벽인 섬 전체를 한 바퀴 산책하고 호수 위의 성에 완전히 매료되었다.

트라카이에서는 키비나이가 유명하다니 먹으러 갔다. 키비나이는 반달 모양의 만두처럼 생긴 빵인데, 속 내용물에 따라 여러 가지 맛이 있었다.

이 또한 구글 지도 덕분이다.

Kauno pilis

리투아니아 빌뉴스에서는 대통령궁, 트라카이성, 새벽의 문, 게디미나스성, 빌뉴스 대성당, 우주피스 공화국 등을 둘러보았다. 하루는 기차를 타고 카우나스성을 다녀오는 여유도 부렸다. 첫 여행지 한 도시에서 3일을 머무르니 택시, 버스, 노면전차(Tram) 등을 섭렵하며 현지인이 되어갔다.

카우나스 성은 빌뉴스 이전 트라카이가 수도였을 당시 독일기사단들의 침공으로부터 수도를 보호하기 위해 건설한 성이라고 한다. 리투아니아에서 가장 오래된 벽돌 건축물로 한때는 감옥으로도 활용되었다고 한다.

Angolo statula

우주피스(Užupis) 공화국은 리투아니아의 수도인 빌뉴스 구시가지에 있는 지역이다. 면적은 약 0.60km²(약 148에이커)이다. 우주피스는 리투아니아어로 '강 건너편'을 뜻한다. 인구는 약 7천 명인데 약 1천 명에 달하는 예술가가 이곳에 거주한다.

1997년부터 매년 만우절인 4월 1일에 24시간 동안만 나라가 된다. 우주피스에 거주하던 몇몇 예술가들이 우주피스 공화국(리투아니아어: Užupis Respublika)의 수립을 선언했다. 마이크로네이션을 표방하기 때문에 자체적인 국기, 국가, 군대, 헌법, 화폐, 정부 조직, 내각을 두고 있다. 마을에 단 하루 만우절이라도 자신들만의 나라에서 살고 싶다는 생각을 했고, 이걸 이벤트 행사로 만들어내면서 그것이 유명해진 것이라 한다. 매년 4월 1일은 정식 입국 절차를 받아 입국하고, 우주피즈 공화국의 화폐를 사용하며 관광하여야 한다고 한다.

다리 건너 나라에 입국하게 되면 마주하는 우주피스 천사상이다. 다른 시가지와 별다른 것은 없지만 무언가 더 새롭고 재미있게 느껴졌다.

2. 라트비아

라트비아의 수도인 리가의 구시가지는 세계문화유산으로 등록되어 있다. 라트비아 인구의 1/3 모여 사는 최대 항구 도시이다.

리가에서 성피터교회, 검은 머리 성당, 삼형제 건물, 라트비아 국립도서관, 아르누보 박물관 등을 보았다.

거리의 노점 카페나 음식점은 여행자들에게 더욱 여유로움을 느끼게 하였다.

백야의 일몰을 보기 위해 우리는 밤 10시가 넘은 시간에 성피터교회의 종탑에 올랐다. 발트해의 저지대에 위치한 항구로 이곳에서의 일몰은 평생 잊지 못할 감동을 주었다.

Latvija Riga

리가는 유명 관광지답게 다양한 음식이 푸짐하기까지 하여 그저 웃음 짓게 하였다. 갈비구이라기에 주문하였더니 갈비가 통째로 구워 나왔다. 여기에 감자튀김, 각종 야채구이는 이곳 사람들은 몸집이 큰 만큼 많이 먹는가 보다. 물론 우리도 야외 식탁에 자리 잡았다. 테이블마다 붙어 있는 큐알코드를 핸드폰으로 찍으면 메뉴를 고를 수 있다. 핸드폰으로 직접 주문하고 결재까지 가능하다. 우리나라의 키오스크가 테이블마다 있는 셈이다. (한국에 도착하여 음식점을 방문하였을 때, 우리나라도 식당 큐알 코드가 있는 곳이 있었다. 전에는 내가 무심코 지나친 것 같았다.)

번화가에서 조금만 벗어나면 거리는 더 아름다웠다. 깔끔하게 정돈된 느낌에 걷기에 좋은 도시 바로 이런 도시였다. 거리에 간판은 전혀 없고, 요런 모형으로 가게임을 알리고 있었다. 우리나라의 덕지덕지 붙어 있던 간판에서 글자 위주의 간판으로 바뀐 것만으로 깔끔하다고 생각했었는데, 참으로 예쁜 아이디어인 것 같았다. 아주 한가하고 여유로운 길거리 산책이었다.

3. 에스토니아

리가에서 2박 후 에스토니아 탈린으로 이동하였다.

북유럽에는 고속도로가 없는지(인구가 적어 아마도 필요를 못 느낄 듯) 국경을 넘나드는 데도 시골길이 이어진다. 네 시간의 거리인데 중간에 운전사만 교체하고 그냥 달린다. 우린 어쩌라고! 드디어 찾았다. 버스 안에 화장실이 있을 줄이야! 서비스 커피도 있었다. 우리나라 고속도로 휴게소를 떠올리며 웃음이 나왔다.

14명이나 되는 많은 인원이 대형 캐리어를 끌며 대중교통으로 자유여행 가능한 시스템은 정말 놀랍다.

탈린에서는 탈린 시청, 카드리오그 미술관, 루살카 기념물, 네프스키 대성당 등을 보았다.

여행하다 보면 생각지 못한 일이 일어날 때도 있다. 탈린에서 유명하다는 올드타운에 있는 중세풍의 <3 드레곤>. 제일 인기 메뉴인 순록 스프와 황소립, 맥주를 주문하기 위해 30여 분을 줄을 서서 기다려야 했다. 이곳은 주문과 동시에 준비된 음식을 내준다. 관광객이 많아서인가, 직원들은 너무나 불친절했다. 중세를 재현해서였을까, 안은 어둡고 메뉴판도 없다. 벽에 붙은 낙서 같은 메뉴를 사진 찍어 손가락 짚으며 주문하려는데 내 핸드폰을 자기가 덮어 버린다. 자기 얼굴을 보고 주문하란다. 어찌어찌 주문과 동시에 받아든 갈비는 헉 소리 날만큼 큼지막했지만, 너무 짜고 질겨 많이 남겨야만 했다. 스케치하며 가게 안에 쓰인 글을 해석해 보니 씁쓸한 웃음이 나왔다.

'네 의지대로 왔으니…' '돈 내고 가라…'.

나는 탈린 시청 옥상에서 오스트리아 친구를 사귀었다. 시청 옥상은 시내를 한눈에 볼 수 있도록 전망대가 있었다. 앞뒤로 스치다 인사를 나누었다. 16살 고등학생인 친구는 부모님과 함께 5가족이 여행 왔다 하였다.

아주 짧은 영어 실력으로 의사소통이 되어 연락처를 알게 되었고, 이후에 번역기를 돌리며 메일을 주고받았다. 갑자기 글로벌한 인물이 된 듯하다. 내가 좀 더 젊었다면 전 세계 친구 망도 가능할 듯하다.

에스토니아 탈린에서 2박 후 핀란드 헬싱키를 향해 카페리호를 타고 발트해(핀란드만)를 건넜다.

　이번 여행에서 우리는 비행기, 버스, 트램, 택시, 기차, 카페리호, 크루즈… 어지간한 교통수단은 모두 섭렵한 것 같다.

　카페리호에서의 망중한은 발트 3국을 떠나는 마음을 위로해 주었고, 핀란드와 노르웨이를 향한 설렘을 채워 주었다.

4. 핀란드

핀란드는 유럽에서 8번째로 큰 국가지만 인구 밀도는 가장 낮은 국가다. 1906년 유럽에서 최초로 모든 성인에게 선거권을 부여했고, 최초로 모든 성인에게 공직에서 활동할 수 있도록 했다. 교육, 경제 삶의 질, 인간 개발, 시민의 자유 등 사회복지가 잘 이루어지고, 2024년인 올해까지 7년 동안 세계 행복지수가 1위라고 한다.

핀란드라면 나는 무민(Moomin)이 떠오른다.

토베 얀손(Tove Jansson)의 여러 책과 만화에 나오는 캐릭터다. 무민은 트롤(초자연적 괴물 또는 거인) 가족들로서 색깔은 희고 포동포동하며 주둥이가 커서 전반적으로 하마를 닮았다. 이들은 핀란드의 숲속에 있다는 무민의 골짜기에서 사는데, 동화 속에서 친구들과 함께 많은 모험을 한다. 무민은 우리나라의 뽀로로와 같은 국민 캐릭터이며, 제주도에도 무민 랜드가 있을 정도로 세계적인 캐릭터가 되었다. 핀란드는 공항에서는 물론 어디에서든 무민을 만날 수 있었다.

바위 동굴을 이용해 자연의 소리를 담았다는 암석 교회(Temppeliaukion kirkko)는 화강암의 바위를 폭파해 내부를 사용하고, 그 위에 구리선 천정과 180개의 유리창을 달았다. 바위 동굴 속에 유리지붕의 건축물이 된 것이다. 내부는 천연 암석의 특징을 살린 독특한 디자인과 파이프 오르간이 있으며 UFO와 같은 모습이었다.

유럽에서 '하나님의 집'이라는 교회를 보면, 너무 웅장하고 경이롭다. 이러한 건축물을 '과연 하나님도 기뻐하셨을까?' 생각이 들기도 하였다.

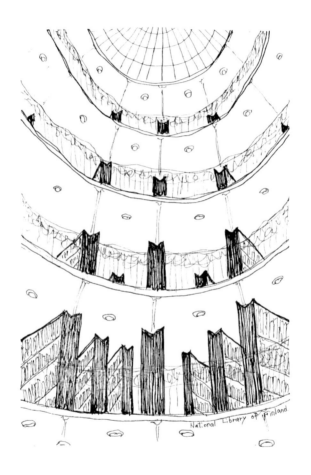

National Library of Finland.

핀란드 국립도서관. 외관은 특이해 보이지 않지만 내부는 코린트식 기둥을 사용하여 고전미가 아주 돋보였다. 겨울이 길고 해가 짧은 핀란드에서는 건축에서 빛을 오랫동안 많이 받기 위해 지붕을 돔 형태로 만들고 자연 채광을 많이 이용한다고 한다.

본관은 중간이 뚫리고 나선형으로 오르내릴 수 있는 구조로 어느 층에서나 천정의 자연 채광을 맞을 수 있었다. 1844년 건축가 칼 루드비그 엔젤이 설계하였다고 하는데, 암반을 뚫고 지하 18m에는 국립도서관 컬렉션 대다수가 보관되어 있다고 한다. 지하 수장고인 듯하다.

어마어마한 자료에 시설도 좋고 쾌적한 건물인데, 도서관 이용자는 많이 보이지 않았다. 하지만 핀란드는 공공도서관의 네트워크가 잘 되어 있어 굳이 국립도서관을 방문하지 않아도 되지 않겠냐는 생각을 해 보았다. 우리나라도 웬만한 도시에 도서관 간의 상호대차가 잘 이루어지고 있어, 이용자가 가까운 도서관에서 모든 자료를 받아 볼 수 있지 않은가.

핀란드 국립도서관 맞은편에 위치하였고, 이번 여행에서 가장 아름답게 느껴졌던 곳 중의 하나가 헬싱키 대성당이다.

국립도서관 옆에 위치하며, 도시를 바라보는 높은 장소에 흰 외관의 녹색 돔이 인상적인데 돔에는 황금별 장식이 있다. 대성당은 가톨릭 성당이 아니라 핀란드 국교인 루터교의 총본산이라 한다. 핀란드는 인구의 85%가 루터교 신자로 등록되어 있는 만큼 이곳은 핀란드인들의 정신적인 지주가 되는 장소인 듯했다. 대성당 앞은 넓은 원로원 광장이 있는데 광장 중앙에 러시아 황제 알렉산드르 2세의 청동상이 있는 것은 아이러니하다. 우리나라로 치면 광화문 광장에 일본 총리 동상이 있는 것과 같지 않을까?

그 앞에서 남편의 사진을 찍어보니 이 무슨 조합?

하나님의 성전인 대성당 - 기둥 위의 예수와 십이사도상 - 알렉산드로 2세 - 그리스 로마 신화의 신상 - 내 남편

8월의 첫날은 핀란드 헬싱키에서 노르웨이 트롬쇠로 이동하는 날이었다. 오전에 핀란드 정교회 주교좌 성당인 우스펜스키 사원을 보았다. 서유럽에서 가장 큰 정교회 성당답게 붉은 벽돌에 청록색 지붕이 이색적이면서도 웅장하고 거대했다. 13개의 지붕 위에 세워진 성상은, 가운데가 예수님을 주변은 십이사도를 의미한단다. 언덕 위에 자리하고 있어, 뒤편에서는 바다가 앞편에서는 도시가 한눈에 바라보였다.

오후에는 핀란드에서 노르웨이 트롬쇠로 향하기 위해 비행기를 타야 했다. 공항으로 가기 위해 기차를 탔다. 핀란드 기차 안의 모습이다. 유모차를 탄 아가와 엄마 아빠가 여행 중이다.

기차나 버스, 무엇을 타든지 유모차, 자전거, 여행용 가방을 장애 없이 모두 실을 수 있다. 창밖의 풍경도 멋지지만, 창가 위 안내문의 내용은 더욱 인상 깊었다.

5. 노르웨이

노르웨이는 '북'이라는 뜻의 'nor', '길'이라는 뜻의 'way'가 합쳐진 말로, 북극으로 가는 길이라는 뜻이 있다. 수도는 오슬로이며 전 세계에서 최고 수준인 사회보장제도와 민주주의 지수가 가장 높은 국가이다.

9세기에서 11세기까지 노르웨이의 바이킹은 대대적인 해상 원정을 벌였다. 노르웨이인의 후손이 아이슬란드에 뿌리를 내렸고, 한때는 지금 캐나다의 일부와 스페인까지 이르렀다.

석유가 발견되기 전인 1970년 이전엔 그다지 부유한 나라가 아니었으나 원유와 가스를 수출하면서 부유한 나라가 되었다.

비행기로 핀란드 헬싱키에서 노르웨이 트롬쇠에 도착하였다. 숙소까지 가기 위해 14명이 우르르 커다란 가방 하나씩을 들고 버스를 탔다. 카드는 안 되고 현금만 된단다. 노르웨이 첫날이니 현금은 전무하고 'Travel Wallet' 카드만 들고 있었는데 난감했다. 마음씨 좋은(?) 운전사는 그냥 타고 가란다. 그렇게 우린 무임승차했다. 고마운 마음에 BTS 사진이 있는 책갈피를 선물로 주었지만, 운전사는 BTS를 모르는 듯했다. 자녀에게 가져다 주라는 인사로 훈훈하게 마무리했다. 이 책갈피는 핀란드 젊은 과일 상인에게는 <Dynamite>를 부르며 춤추게 하는 최고의 선물이었다. 여행을 할 때 마음을 전할 수 있는 작은 선물은 아주 유용하게 쓰일 때가 있다.

북유럽의 스칸딕호텔은 체인호텔로 어디에서든 가성비가 좋은 것 같았다.

바닷가를 거닐다 보면 일식집, 중국집, 아시아 누들 식당은 있는데 한국 식당은 보이지 않았다. 현지인 식당에서 유명하다는 '대구 혀 튀김 요리'도 먹어보았다. 무슨 맛인지는 알 수 없었다. 담백한 생선튀김 같은데 세 점 나오며 가격은 무척 고가였다.

한여름의 노르웨이는 백야 중이라 밤 10시 30분쯤 해가 지기는 하였으나 자정이 넘어도 거리를 거닐기에 충분한 밝기였다. 호텔마다 암막 커튼은 필수였다.

Arctic Cathedral Tromsø Norway

트롬쇠는 1940년까지 노르웨이의 수도였으며, 북극탐험대의 출발지이다. 겨울에는 오로라를 보기 위해 많은 관광객이 온다고 한다.

피엘 하이젠 전망대에서는 트롬쇠가 한눈에 내려다보인다. 우리는 이 여름에 눈이 쌓인 얼음을 직접 만져보고 사진을 찍었다. 그러나 지구 온난화를 걱정하지 않을 수가 없었다. 우리는 피오르가 사라지는 흔적들을 여행 내내 보게 되었다.

전망대를 내려오는 길에 트롬쇠 북극 성당을 들렀다. 이곳은 교회 내부가 파이프 오르간으로 장식되어 있었다. 마침 연주회가 있어 티켓을 구매해 들어갔다. 교회 내부에 울려 퍼지는 연주는 정말 멋졌다. 이런 곳에서 매주 하나님께 예배드리며 듣게 될 연주를 상상하니 생활 속 천국일 것 같았다. 그러나 피곤함은 어쩔 수 없는지, 남편과 나는 졸지 않은 척 시치미를 떼며 밖으로 나왔다.

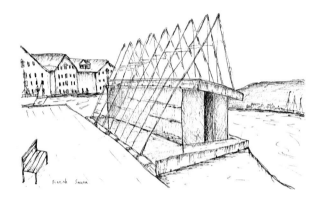

Finnish Sauna

겨울이라면 오로라를 볼 수 있다는 Prestvannet 호수를 가려다, 세계 2차대전 당시 독일군에 의해 사망한 국군의 묘지만 보고 발길을 돌려야 했다. 'Can I use the restroom at your house?'를 머릿속에서 굴리며, 현지인을 찾았지만, 호텔로 달려온 것이 탁월한 선택이었다. 현지인을 만날 확률은 거의 없었다.

트롬쇠의 해변에는 북유럽인들이 즐긴다는 해양 사우나가 있었다. 한국 TV에서도 소개되어 관심이 있었는데, 바다를 보니 도저히 즐길 수 있을 것 같지 않았다. 요트 등 배들이 정박하여 있는 바닷가 한편에 집 같은 배가 있는데 그곳이 사우나라 하였다. 건물 안에서 사우나를 즐기다 더우면 바로 바닷물에 뛰어드는 거란다. 한화 십만 원 정도의 입장료임에도 즐기는 사람이 있었다. 한국의 잘 꾸며진 사우나를 그리며 문화 차이를 생각하게 하였다. 극지방박물관, 식물원. 지질 공원 등 소소한 구경거리들이 있었다.

날씨도 화창한 트롬쇠 이틀째.

Kaldfjord까지 걸어서 이동해보기로 했다.

신호등이 있을 리 없고, 어쩌다 자동차와 오토바이가 다니는 길을 걷고 또 걸었다.

경치가 멋져 크게 힘들지는 않았지만, 날씨가 너무 좋아 겨울임에도 땀이 나기도 했다.

이번 여행은 참 다양한 체험을 하여 뜻밖의 재미가 쏠쏠했다. 걸어가는 길에 흐르는 강가에서 골뱅이를 주웠다. 저녁엔 삶아 먹기도 하고, 육수를 낸 국물에 라면을 끓여 먹기도 하였다. 한국 라면은 노르웨이의 마트에서도 한쪽 코너를 차지하며 다양하게 자리잡고 있었다.

Norge Eidkjosen Kaldfjord

칼드 피오르 입구 도착. 카페 주변으로 노니는 순록들의 평화로움이 이색적이었다. 호수는 잔잔하고 하늘은 파랗다. 흰 구름은 나처럼 소풍을 나온듯하다. 이런 곳에서의 삶은 어떨까?

지금은 이렇게 한가하고 아름답지만, 바이킹 시대를 생각해보면 참으로 살아가기 어려웠을 듯하다. 지금처럼 여름이면 백야현상으로 그나마 지내기 괜찮지만, 겨울이면 태양이 지평선 위로 완전히 떠오르지 않아 어슴푸레한 초저녁 같은 상황이 지속되는 극야가 된다. 아름답게 보이는 피오르는 과거 현지인들에게는 농사나 목축업에 종사할 수 없고, 지역 간의 소통을 막는 눈 덮인 뾰족산이었을 것이다. 극심한 추위를 견디며 할 수 있는 일이 물길을 따라 배를 타고 이동하는 해적질이었다니 이해가 되는 부분이다. 극한 지형을 벗어나 유럽 전체를 뒤흔든 바이킹의 후예들이 사는 곳을 보고, 우리는 지금 감탄하고 있으니 아이러니하기도 하였다.

6. 크루즈

드디어 트롬쇠에서 크루즈에 탑승하는 날이다. 버킷 리스트에 오를 만큼 기대되는 날이다.

노르웨이-스코틀랜드(영국령)-페로제도(핀란드령) -아이슬란드를 여행할 예정이었다.

여행 가방에는 크루즈 탑승을 위해 준비해 온 원피스와 수영복 등이 있었다. 24시간 풀 오픈 뷔페와 아이슬란드에 대한 환상을 기대하며, 우리는 '노르웨지안 스타'에 올랐다.

3천여 명의 승객이 함께하는 크루즈는 섬 하나가 떠다니는 듯했다. 밤이 되어 잠자는 시간에 이동하고 낮에는 도시에 정박하여 시간적인 절약이 많이 되었다.

가장 좋은 점은 대부분의 엔터테인먼트가 크루즈 요금에 포함되어 있다는 점이다. 언제나 가능한 뷔페 레스토랑부터 디너 식당 둘, 카지노, 스시 바, 가라오케 바, 쇼 라운지, 갤러리, 사진 스튜디오, 수영장, 자쿠지. 골프연습장, 조깅트랙, 면세점, 짐, 쇼를 하는 극장, 각종 프로그램 진행 룸, 도서관 등 승객들이 지루해할 틈 없이 즐길 수 있도록 시설이 갖춰져 있었다.

그중 우리가 가장 애용한 곳은 Bliss라는 곳과 저녁 9시에 공연하는 Stardust라는 곳이었다.

Bliss에서는 디스코, 블루스, 자이브, 차차차 등을 가르치고 즐기는 곳이고, 빙고 게임도 여기서 했다.

Stardust에서는 바이올린 연주, 영화 상영, 댄스스포츠 공연, 매직쇼, 서커스, 음악회, 라스베이거스 등에서 볼 수 있는 노래와 춤 공연 등의 프로그램을 진행했다. 우리는 매일 밤 9시를 기다렸다. 이 공연들로 크루즈 생활이 더욱 풍요로워졌다.

크루즈 하선 하루 전 마지막 공연을 마치고 크루즈 선장 및 임직원들이 한 사람씩 소개되었다. 멋진 시간을 준비해 준 분들께 감사드리며 우리는 기립 박수를 보냈다. 우리가 홀을 나올 때는 모든 임직원이 입구에 서서 박수로 화답해 주는 멋진 모습을 보이기도 했다.

우리 팀원들이 미리 준비한 캐러비안 해적 옷은 선내에서 패션쇼 하기에 충분하였고, 인기는 절정에 달했다.

Jolden Briksdalsbre jostedalsbreen National Park.

올덴의 Briksdalsbre 국립공원 가는 길.

어느 방향으로든 셔터만 누르면, 북유럽 하면 연상되는 사진첩의 장면들이 나온다. 국립공원이라면 나무들이 빽빽이 있어야 할 것 같은데, 특이한 것은 노르웨이는 생각보다 나무가 많지 않다는 것이다.

On a rainy day

크루즈에 승선하기 전에 우리 팀원은 노르웨이 올덴의 Briksdalsbre 트래킹을 신청했다. 나에게는 이날의 일정이 이번 여행의 최악이었다. 바람이 많이 불고 비가 왔다. 크루즈에서 하선하여 대기하고 있던 버스에 올랐다. 날씨는 좋지 않았지만 제대로 된 피오르를 체험하리라는 기대를 하고 떠났다. 우리 팀이 신청한 시간이 너무 늦은 것이 화근이었다. 마지막 팀이 되어 빨리 진행하지 않으면 크루즈가 제시간에 출발하지 못하게 되므로 서둘러야만 했다. 걷기는 해도 등산을 해본 지 오래된 나는 일행을 따라가기에 바빴다. 우산을 쓰기는 하였지만 비와 바람이 무척 불어 힘겨운 산행이 되었다. 그 멋진 풍경을 제대로 감상하지도 못하고 쫓기듯 내려와야만 했기에 무척 아쉬웠다. 그러나 숙소에 들어와 듣게 된 안내방송은 우리를 더욱 놀라게 하였다.

25년 만의 태풍이라나? 스코틀랜드의 Lerwick은 입항하지 못했다. 높은 파도에는 바다 한가운데가 더 안전한가 보다. 무척 높은 파도를 바라보며 크루즈에서 지내야 했다. 함께 했던 분 중에 멀미로 고생하는 분이 있었지만, 무사히 잘 지냈다. 크루즈 내에서도 즐길 거리가 많아 하루쯤은 괜찮다 싶었다. 그러나 크루즈가 육지에 정박하면 와이파이가 되지만 해상에서는 전무하여 내가 얼마나 핸드폰에 의존하고 살아가고 있는가를 실감하는 하루였다.

나와 다르지만 틀리지 않은 사람들을 만났다.

7. 페로제도

영국과 아이슬란드, 노르웨이 사이에 있는 대서양의 여러 섬으로 이루어진 제도로, 1948년에 덴마크의 자치령이 되었다. 2005년부터는 외교권에 대한 자치권도 가지게 되었다. 페로인이 91.7%로 가장 많으며 덴마크인 5.8%, 아이슬란드인 0.4%, 노르웨이인과 폴란드인이 각각 0.2%이다.

수도는 토르스하운이다. 토르스하운은 페로 제도의 제일 큰 섬인 스트레이모이섬에 있다. 2020년 9월 기준으로 인구수는 총 52,703명으로, 총면적은 1,400제곱킬로미터이다.

페로제도의 여러 섬 사이에는 해저 터널이 연결되어 있는데, 섬의 80% 정도가 연결되어 있다.

페로제도에 사는 사람들은 모국어가 페로어이다. 덴마크어는 페로 제도의 두 번째 공용어로서 3학년부터 배우는데, 모국어로 생각하는 사람이 적어서 요즈음의 많은 주민은 덴마크어를 외국어로 생각한다.

1500년경부터 1677년까지 페로제도가 해적에게 공격을 여러 번 당하였다. 16세기에 덴마크의 여러 왕이 페로제도를 영국에 매각하려 했으나 거절당했다. 제2차 세계 대전에 나치 독일의 군대가 덴마크를 점령한 다음에 영국의 군대가 페로제도를 점령했다. 페로제도마저 나치 독일에 점령당할까 봐 종전 후까지 영국이 점령했는데 내정 간섭과 학살은 단 한 번도 하지 않았다. 이때 영국군이 보가르섬에 공항을 지었다.

Tórshavn

수도인 로스트타운은 아담하면서 깔끔하고 아주 예뻤다. 작은 마을에 비하여 요트가 많아, 남편을 멋진 요트 앞에 세우고 사진 찍어주며 '당신 것 하라!'는 농담도 하였다. 수도가 작아 한 시간가량이면 도시 전체를 돌아 볼 수 있다. 더욱 멋진 것은 버스비가 무료! 버스를 운행하던 기사 아저씨는 우리 일행을 남겨두고 버스에서 내려 식사하러 가셨다. 우리는 전날 크루즈 살사 강습이 있어서 배운 걸 복습하는 시간으로 잘 놀았다.

8. 아이슬란드

아이슬란드는 북유럽에 위치한 섬나라이다.

수도는 레이캬비크.

따뜻한 북대서양 해류가 흐르기 때문에 매우 높은 위도에 있는 나라임에도 상당히 따뜻하다. 겨울은 바람이 불지만 따뜻하며 여름은 다소 건조하고 시원하다. 알래스카반도와 알류샨 열도 기후와 비슷하다. 북극과 근접하지만, 겨울에도 아이슬란드의 항구는 거의 얼지 않는다.

노르웨이의 바이킹들이 따뜻한 이곳으로의 이주가 많았다고 한다.

아이슬란드는 지진과 화산 분출 같은 지각 변동이 매우 활발한 화산섬이다. 동서로 약 540㎞, 남북으로 약 350㎞의 크기를 가지고 있는 아이슬란드는 일부 지역이 지난 2만 년 동안 쌓인 용암으로 뒤덮여 있다. 활발한 지각 변동 덕분에 아이슬란드 사람들은 화산의 열을 이용해 난방하고, 온천수로 작물을 재배하며, 화산 증기로 전기를 생산하는 등 지질학적 특성을 이용하며 살아가고 있다.

2021년 3월에도 레이캬네스반도에서 화산이 분출하여 용암이 주변 지역을 뒤덮었다.

아이슬란드는 얼음 땅이라는 이름답게 피오르가 많았다. 여행을 시작할 때는 작은 것 하나만 보아도 탄성이 나왔는데, 며칠 지나니 어디에나 있는 냇가 같았다. 크루즈가 정박하는 곳은 대부분 시골의 작은 마을 같았으며 주위를 걷다 보면 발걸음은 자연스레 폭포 앞에 다다른다.

점심으로 간단한 간식을 크루즈의 뷔페에서 준비하기 시작한 우리는, 점점 점심이 푸짐해지기 시작했다. 폭포 위에서의 도시락 파티는 아마 평생 잊지 못할 추억이 될 것이다.

'HARSTAD NORWAY. CRUISE

크루즈에서 십여 일을 보내니, 객실 창을 통해 보이는 풍경에 멍때리기를 할 때가 많았다. 무제한 WIFI가 있어도 배가 바다에 떠 있을 때는 무용지물이다. 외부와 연결된 것 같으면서도 단절된, 짜릿함도 있었다.

남편과 24시간 붙어 지내는 일도 이제는 익숙해졌다.

Urðarvegur Ísafjörður Iceland

크루즈에서 내려 잠시만 걸어도 이 정도의 풍경은 늘 있는 곳.

면적은 대한민국과 비슷하나 인구는 33만 9000명 (2019. UN통계)이란다. 오천만이 넘는 우리로서는 자치구 하나 정도의 인구로 나라를 지탱하는 것 같다.

Goðafoss Fossholl Iceland

1000년경 그리스도를 국교로 정하면서 이교도
신들의 동상을 폭포에 던져버렸다는 신화로 인해 '신의
폭포'라는 뜻이 있는 고다포스⋯. 아이슬란드에서 가장
아름답다는 폭포다.

　　정말 멋졌는데 그림으로 표현을 못하겠다.

　　북유럽 특유의 체형을 가진 할아버지를 앞에 그려
보았다.

Excited women

키르큐펠(Snaefelllsnes) 앞의 평원. 오른쪽은 산이요, 왼쪽은 폭포. 대자연의 웅장함에 한 점의 미물이 되었다.

아이슬란드는 신이 세상을 만들기 전 먼저 실험적으로 만들어 본 땅이란 이야기가 있을 정도로 지구가 아닌 듯한 태고의 풍경을 고스란히 갖고 있는 섬이라던데, 바로 이곳을 두고 하는 말 같았다.

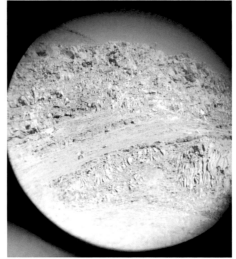

아이슬란드 여행의 막바지에 만난 해발 463m의 키르큐펠(Snaefelllsnes).

'아이슬란드인의 영혼이 담긴 교회산'이라는 뜻을 가진 화살촉 모양의 산으로 아이슬란드를 대표하는 산이다.

남편이 전문 등산 장비 없어 주저하다가, 다시는 못 오를 산이라며 오르다 거의 꼭대기쯤(?)에서 내려온 곳이다. 산 아래에서 현미경을 통해 남편을 사진 찍었지만, 점으로 보였다.

마법사의 모자처럼 삼각형으로 뾰족하게 솟아오른 모습이 워낙 인상적이라 아이슬란드를 상징하는 가장 대표적인 명소 사진으로 많이 등장한다.

내 그림 실력으로는 표현이 안 되어 사진으로 대신한다.

아이슬란드의 마지막 귀항지는 수도인 레이캬비크였다. 이곳에서 하루를 보내고 인천행 비행기에 올랐다.

레이캬비크에서는 요 핫도그 가게가 유명하단다. 클린턴 대통령도 먹었다는데 '꽃보다 청춘' 프로그램에서 소개하면서 한국 사람들에게는 성지가 되었단다. 그냥 지나칠 수 없지! 아이슬란드에서 줄 서는 곳은 이곳뿐인 듯했다.

Hallgrimstorg, Reykjavik, Ysland

레이캬비크의 제일 번화가인 레인보우 스트리트는 할그림스키르캬와 연결되어 있다.

할그림스키르캬는 아이슬란드의 국교인 루터교회이다. 아이슬란드에서 두 번째로 높은 건축물이며, 로켓을 닮은듯하다. 엘리베이터(한화 약 13,000원)를 타고 전망대에 올라갈 수 있다.

아이슬란드는 성평등 사회로 유명하다. 세계경제포럼이 매년 건강, 교육, 경제, 정치 영역에서 남녀 간 상대적 격차를 측정해 발표하는 '성 격차 지수'를 보면, 2009년 동성애자인 여성 총리가 당선된 이후 계속 1위 자리를 차지하고 있다.

레인보우 스트리트는 아이슬란드의 포용성과 다양성을 상징하는 거리이다. 아이슬란드에서의 공공화장실은 모두 남녀 공용이었다.

이번 여행한 모든 나라들은 레인보우 스트리트가 다양하게 많았다. 성평등을 표현하는 것도 있지만, 일단 아름다운 색으로 거리를 표현해 놓은 것이 보기에 좋았다. 추운 지역이어서일까? 자칫 우울할 수 있는 거리에 활력을 주었다.

북유럽에서는 주류 구입이 어렵다. 세븐일레븐 같은 편의점에서는 술 종류를 찾기 힘들다. 시스템볼라겟과 같이 정부 소유로 유통을 독점 판매하는 곳이 있다. 노르웨이 슈퍼에선 맥주 같은 가벼운 주류를 팔기는 하는데 주중 저녁 8시, 주말 저녁 6시까지 정해진 시간에만 판매한다. 가격 또한 비싸다. 나라에서 마약보다 더 신경을 쓰는 것이 주류라 한다.

술을 즐기는 남편에게는 매력 없는 소식이었다.

에필로그

여행이란 추억을 만드는 것이라기에 어쭙잖은 실력의 드로잉스케치를 미션으로 잡았다.

눈으로 보는 것과 렌즈를 통해 보는 것이 다르듯 스케치하며 느끼는 감동은 또 다르게 다가왔다. 이곳은 한여름임에도 7~15℃로 한국의 봄날씨 같았다. 도시에서는 주로 교회, 성, 미술관 등을 둘러보았다. 도시에서 조금만 벗어나면, 눈부신 파란 하늘에 흰 구름, 초록빛의 나무와 잔디, 아직 초보인 스케치로는 어찌 표현할 길이 없다. 다행일까? 준비해 간 스케치 노트가 수채화용이 아니어서인지 물감을 받아들이지 않았다.

성공이란 누군가 아침에 일어나 할 일이 너무 기대되어 잽싸게 문을 박차고 나가는 것이라 하였다. 그리고 잠자리에 들기 전 최선을 다했다고 느끼는 것이라 하였다.

이제 나도 중년이 되어 무엇을 하며 지내야 할지 고민될 때 여행을 계획하였고, 여행하며 또 하나의 일거리를 만들었다. 얼마간 이 작업을 하며 나는 뿌듯했고 행복했다.

이런 것이 성공이 아닐까?

기쁨이고 자유이고 사랑인 것이라고….

여행을 시작할 때는 꽤 긴 기간이라는 생각이었으나, 24박 26일로는 아쉬운 생각까지 들었다.

이번 여행의 모든 일정을 무사히 마칠 수 있도록 함께해 주신 여행 팀원 모두에게 감사드리고, 캡틴으로 수고하신 최돈근 님, 옆에서 통역을 담당한 이선주 님, 특히 기억력 최하인 나에게 SNS 정보를 제공한 김보경 님에게 감사드린다.

부족한 줄 알면서도 책으로 정리할 수 있도록 용기를 준 분들께 감사드린다.

스스로 잘살고 있는 아들 이세동에게도 고마운 마음 전하고 싶다. 내 남편 이제권은 두 말이 필요 없다.

그리고

언제 어디서나 지켜주시고 보호해 주시며 이끌어 주시는 하나님 아버지께 감사드립니다.